On ne partage pas les microbes

Elizabeth Verdick

Illustrations de Marieka Heinlen
Texte français de Claude Cossette

Éditions
SCHOLASTIC

ISBN 978-1-4431-1873-6

Titre original : Germs Are Not for Sharing

Édition publiée par les Éditions Scholastic, 604, rue King Ouest, Toronto
(Ontario) M5V 1E1, avec la permission de Free Spirit Publishing, Inc.

5 4 3 2 1   Imprimé au Canada   114   12 13 14 15 16

Conception graphique de Marieka Heinlen.

MIXTE
Papier issu de
sources responsables
FSC® C016245

Dédicaces

Au personnel du Children's Hospital de St. Paul qui a pris bien soin
de mon fils Zach pendant ses deux hospitalisations; et à Zach, qui apprend
à vivre avec l'asthme, à se laver les mains en chantant l'alphabet et à dire
à tout le monde qu'on ne partage pas les microbes.
—E.V.

À Mason, un super grand frère qui ne tousse *jamais* au visage de
sa petite sœur, et à Avery et Veronica, qui sont encore bien trop
petits pour savoir qu'il y a des microbes.
—M.H.

Remerciements

Nous remercions tout particulièrement
les personnes suivantes pour leur expertise :

Gail Hansen, R.N., L.S.N., F.N.P., écoles publiques de Minneapolis

Bethany Malley, enseignante au niveau préscolaire
à l'école Sunshine Montessori de Minneapolis

Andrew Ozolins, M.D., Children's Hospitals and Clinics of Minnesota

Christine Pearson, Service des relations avec les médias,
Centers for Disease Control and Prevention

Tu ne peux pas les voir tellement ils sont petits, mais ils peuvent te rendre malade. Devine ce que c'est...

Les microbes!

Ce n'est pas leur taille réelle.

Il y en a
dans l'air

dans la
nourriture
et dans
l'eau

sur ton
corps

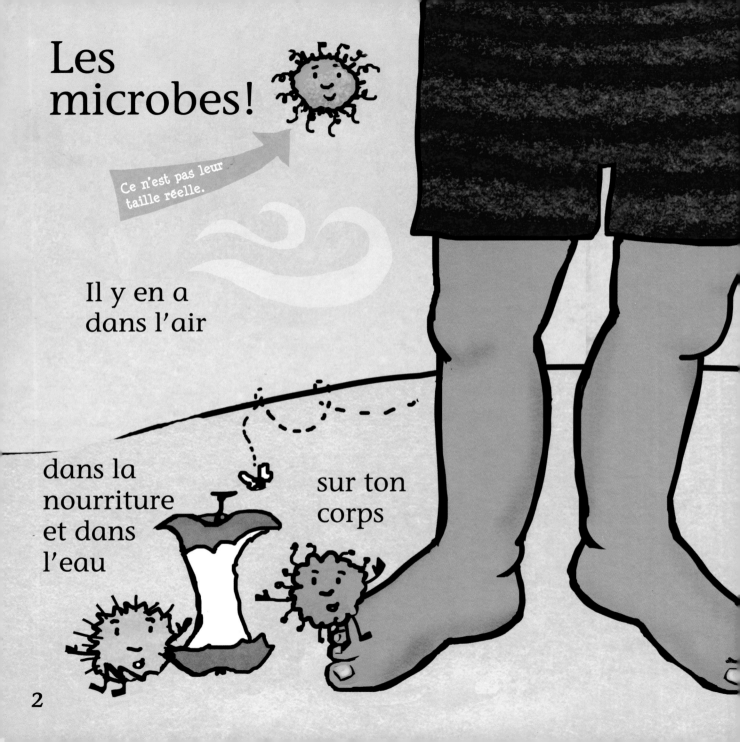

2

Mais on ne partage pas les microbes

4

parce qu'ils peuvent nous rendre malades.

Atchoum! Atchoum! Qu'est-ce que tu dois faire? Couvre ton nez avec un mouchoir avant que les microbes s'échappent.

Mouche-toi, essuie ton nez et jette le mouchoir.

En plein dans le mille!

7

Heu! Heu! Heu! Tu tousses!
Qu'est-ce que tu dois faire?

Couvre ta
bouche avant
que les microbes
s'échappent.

Comme ça

ou comme ça

ou même comme ça.

Si tu tousses ou si tu éternues dans tes mains,
va vite les laver parce que...

on ne partage pas les microbes.

Si tu as des microbes sur les mains, tu peux les transmettre à quelqu'un d'autre

en lui tenant la main

ou en jouant

ou en frappant dans sa main.

Quand tu touches quelque chose,

tu laisses des microbes derrière toi.
Et souvent tu en récoltes d'autres
au passage.

Voici quelques endroits où les microbes se rassemblent :

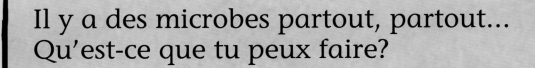

Il y a des microbes partout, partout...
Qu'est-ce que tu peux faire?

Tu peux te laver les mains.

Lave-les à l'eau tiède avec
beaucoup de savon et
frotte, frotte, frotte.

Lave-les le temps de chanter l'alphabet au complet ou de chanter bonne fête deux fois.

Frotte le dessus de tes mains, frotte tes paumes et même tes poignets, et nettoie bien sous tes ongles.

Et
maintenant,
rince,
rince,
rince...

Envoie tous les microbes dans les tuyaux.

Tu dois toujours te laver les mains :

1. avant de manger

2. après avoir mangé

3. après avoir éternué, toussé ou t'être mouché

4. après t'être frotté les yeux

5. après t'être mis les doigts dans le nez

Beurk!

6. après avoir joué dehors ou avoir flatté un animal de compagnie

7. après avoir compté ton argent

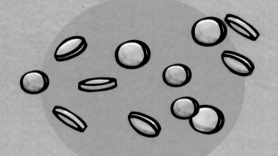

8. après avoir pleuré

9. après avoir utilisé la salle de bains

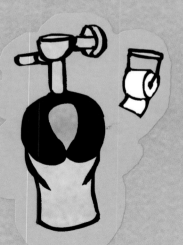

10. quand elles sont sales!

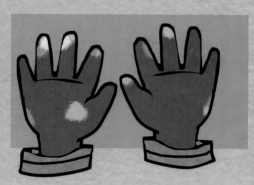

Cela fait dix moments
parfaits pour te laver
les mains – un
pour chaque
doigt.

ELLES SONT TOUTES PROPRES!

Pour en apprendre un peu plus sur les microbes

Adultes et enfants peuvent lire ce qui suit ensemble!

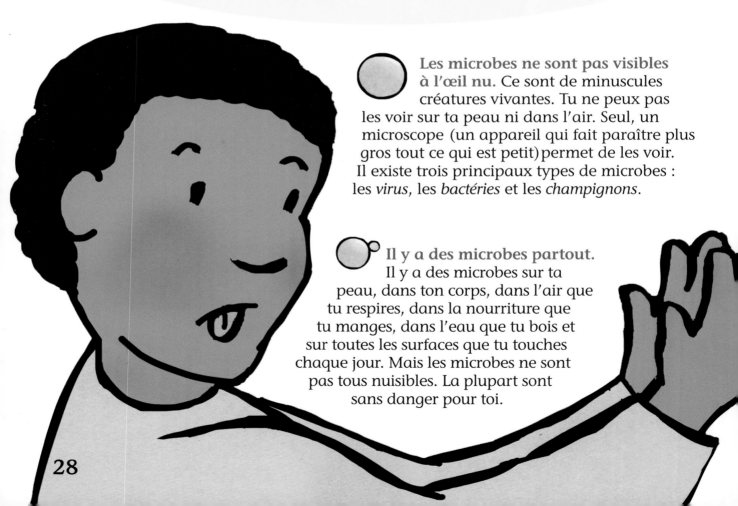

Les microbes ne sont pas visibles à l'œil nu. Ce sont de minuscules créatures vivantes. Tu ne peux pas les voir sur ta peau ni dans l'air. Seul, un microscope (un appareil qui fait paraître plus gros tout ce qui est petit) permet de les voir. Il existe trois principaux types de microbes : les *virus*, les *bactéries* et les *champignons*.

Il y a des microbes partout. Il y a des microbes sur ta peau, dans ton corps, dans l'air que tu respires, dans la nourriture que tu manges, dans l'eau que tu bois et sur toutes les surfaces que tu touches chaque jour. Mais les microbes ne sont pas tous nuisibles. La plupart sont sans danger pour toi.

Certains microbes peuvent te rendre malade. Tu as probablement déjà eu un rhume, une grippe ou une infection aux oreilles ou à la gorge. (En fait, les enfants contractent plus souvent le rhume que tout le monde.) Être malade n'est pas drôle! Mais ton corps sait comment combattre les maladies pour que tu te sentes vite mieux. Parfois, il faut consulter un professionnel de la santé pour obtenir un médicament qui tue les microbes.

Ton corps combat les microbes. Tu ne savais peut-être pas que ton corps a un système de défense intégré pour lutter contre les microbes dangereux. Tes cils, par exemple, bloquent les microbes pour les empêcher d'entrer dans tes yeux. Les poils dans ton nez attrapent une partie des microbes dans l'air quand tu inspires. Lorsque tu avales, des microbes descendent jusque dans ton ventre où les sucs gastriques peuvent les détruire. Ton système immunitaire est le système de défense de ton corps contre les maladies. Il te protège contre les maladies ou t'aide à guérir quand tu es malade.

Les microbes peuvent pénétrer dans ton corps par tes yeux, ton nez et ta bouche. Certains microbes dangereux entrent parfois dans ton corps et te rendent malade. Par exemple, si tu as des microbes sur les mains et que tu te frottes les yeux, tu les fais pénétrer dans ton corps. Tu peux attraper des microbes si tu suces ton pouce, si tu te ronges les ongles ou si tu te mets le doigt dans le nez. Tu peux aussi attraper des microbes si quelqu'un crache sur toi ou si tu embrasses quelqu'un de malade. Les microbes peuvent voyager d'une personne à l'autre de nombreuses façons. Rappelle-toi quelques principes de base : *ne te mets pas le doigt dans le nez. Ne crache pas. Ne suce pas ton pouce. Ne te ronge pas les ongles.* Encore une chose : brosse-toi les dents, c'est une très bonne façon d'avoir une bouche propre!

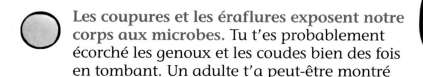

Les coupures et les éraflures exposent notre corps aux microbes. Tu t'es probablement écorché les genoux et les coudes bien des fois en tombant. Un adulte t'a peut-être montré comment nettoyer la coupure, ce qui élimine aussi les microbes. Chaque fois que tu te fais une éraflure, assure-toi de bien la laver et de mettre un pansement adhésif dessus pour protéger la plaie des microbes. Tu peux changer le pansement (avec l'aide d'un adulte) aussi souvent que nécessaire jusqu'à ce que l'éraflure soit guérie.

On ne partage pas les microbes. Les adultes te répètent probablement souvent de prêter tes choses, n'est-ce pas? Alors tu peux être surpris d'apprendre qu'« on ne partage pas les microbes ». Pour éviter de donner le rhume et la grippe à tout le monde, ne prête pas certaines choses comme ta brosse à dents, les boîtes de jus, les suçons, les mouchoirs utilisés et les baumes à lèvres. Même si un ami te demande gentiment s'il peut lécher ton suçon ou boire une gorgée de ta boisson, tu peux dire non. Tu peux rappeler à ton ami qu'on ne partage pas les microbes.

Éternuer transmet les microbes. Tu ne peux pas t'empêcher d'éternuer. Mais sais-tu ce qui se passe quand tu éternues? Tu projettes des milliers de microbes dans l'air. Ils voyagent incroyablement vite aussi : à environ 150 kilomètres à l'heure. C'est plus vite qu'une voiture filant sur l'autoroute. Les scientifiques disent que les microbes peuvent aller jusqu'à l'autre bout de la pièce! C'est pourquoi il est si important d'éternuer dans un mouchoir et pas sur quelqu'un d'autre. Un mouchoir attrape beaucoup de microbes. Pour ne pas les donner aux autres, lave-toi les mains après avoir éternué, même si tu l'as fait dans un mouchoir. Si tu n'as pas le temps de prendre un mouchoir et que tu éternues dans tes mains, lave-les sans tarder.

Tousser transmet les microbes. Tout comme lorsque tu éternues, les microbes sortent de ton corps quand tu tousses et ils entrent en contact avec l'air – ou avec une autre personne. Alors si tu sens que tu vas tousser, n'oublie pas de te couvrir la bouche. Prends un mouchoir, tousse dedans et lave-toi les mains après. Si tu n'arrives pas à prendre un mouchoir assez vite, tourne la tête pour que les gens n'attrapent pas tes microbes. Tousse dans le creux de ton coude pour que ta manche bloque les microbes. Si tu n'arrives pas à faire cela assez vite, tourne la tête en direction de ton épaule et tousse dans ton chandail. Les spécialistes suggèrent de toujours se laver les mains après avoir toussé ou éternué.

Les mains transmettent les microbes. Tes mains sont occupées toute la journée à écrire, à dessiner, à couper ou à lancer et à attraper un ballon. Mais elles attrapent aussi des microbes et les transmettent aux autres. Tu touches les autres avec tes mains à la maison, à l'école et dans beaucoup d'autres endroits. Chaque fois que tu tapes dans la main de quelqu'un, vous partagez des microbes. Est-ce que cela veut dire que tu ne devrais plus jamais toucher les gens? Bien sûr que non! Mais il est utile de savoir que les microbes peuvent se transmettre par le toucher.

Les microbes vivent à la surface des objets. Nos mains les transmettent à tous les objets que nous touchons, comme les crayons, les poignées de porte et la nourriture. Mais sais-tu que les microbes peuvent survivre sur des surfaces pendant un bon bout de temps – quelques heures même? N'oublie pas que la plupart des microbes ne sont pas dangereux et que tu peux les toucher sans tomber malade. Mais si quelqu'un de malade touche les mêmes choses que toi, tu peux attraper des microbes qui sont indésirables.

Il est essentiel de se laver les mains. Les spécialistes disent que garder tes mains propres est la chose la plus importante que tu peux faire pour ne pas être malade et pour ne pas donner tes microbes aux autres. Aux pages 24 et 25, tu as appris à quels moments il est important de se laver les mains. Savais-tu que beaucoup de gens – même des adultes – ne se lavent pas les mains après être allés à la salle de bains? Ou avant de manger? Fais de la prévention en te lavant les mains souvent pendant la journée. Lave-les pendant environ 30 secondes avec de l'eau tiède et du savon. Frotte-les ensemble et lave entre les doigts aussi. Puis rince-les bien et essuie-les. Rappelle à tes frères et sœurs ou à tes amis de faire la même chose.

Ne m'oublie pas!

Surveille tes ongles. Regarde tes ongles... y a-t-il de la saleté et du sable sous tes ongles? C'est probablement le cas si tu as joué dehors. Lorsque tu te laves les mains, n'oublie pas de te nettoyer les ongles. Tu peux demander à un adulte de te donner une brosse à ongles pour laver les endroits difficiles à atteindre.

Attention où tu mets tes doigts. Le bout de tes doigts a touché toutes sortes de choses et certaines peuvent être plutôt dégoûtantes. Évite de te mettre les doigts dans les yeux, le nez ou la bouche sauf si tu les as lavés en premier. Si tu dois te frotter les yeux et que tes doigts ne sont pas propres, prends un mouchoir. Si ce n'est pas possible, frotte tes yeux avec tes jointures plutôt qu'avec le bout de tes doigts.

Attention à ce que tu te mets dans la bouche. Le bonbon que tu as trouvé sur le terrain de jeu est grouillant de microbes. *Beurk!* Ne le ramasse pas et ne le mange pas. C'est la même chose pour les vieilles gommes à mâcher que tu trouves collées sous un pupitre. Montre à un adulte ce que tu as trouvé et demande-lui ce que tu dois faire. Et si jamais ta collation tombe par terre, elle sera déjà pleine de microbes quand tu la ramasseras (même si elle n'est restée qu'une seconde sur le sol).
La meilleure chose à faire : va en chercher une autre.

Garde des mouchoirs à portée de la main et utilise-les. Tu ne sais jamais quand tu peux avoir besoin d'un mouchoir; il est donc utile d'en avoir tout près. Tu peux en mettre dans ton sac à dos, dans ton casier ou dans ta poche. Utilise-les quand tu éternues, quand tu tousses, quand tu pleures, pour t'essuyer les yeux ou pour te moucher.

Assure-toi d'avoir du gel désinfectant pour les mains. Tu ne peux pas toujours trouver un évier quand tu en as besoin. Mais tu peux avoir sur toi du liquide ou des lingettes pour te nettoyer les mains au besoin. Demande à ta mère, à ton père ou à un autre adulte de t'en acheter.

Attention aux bisous. Peut-être aimes-tu embrasser les membres de ta famille et tes amis (ou peut-être pas!). Peut-être aimes-tu donner des bisous à ton chien ou à d'autres animaux de compagnie que tu connais. Il peut être agréable de donner et de recevoir des bisous – mais parfois, tu devras y réfléchir à deux fois avant de le faire. Par exemple, ne donne pas de bisous si tu es malade et n'en accepte pas de personnes malades. Demande à un adulte si tu peux embrasser ton animal domestique ou celui d'une autre personne (les animaux ont aussi des microbes).

Trouve d'autres moyens pour rester propre et en santé. Les adultes te répètent probablement souvent de te laver les mains, de te brosser les dents et de manger des aliments santé. Il y a une bonne raison pour cela! Lorsque tu restes propre et que tu prends bien soin de toi, tu es en meilleure santé. Cela signifie que ton corps a de meilleures chances de combattre les microbes qui pourraient te rendre malade. Ce vieux dicton : « Une pomme par jour éloigne le médecin pour toujours » renferme aussi certaines vérités. Tu peux faire beaucoup de choses pour rester fort et en santé!

Notes sur l'auteure et l'illustratrice

 **Elizabeth Verdick** est l'auteure de plus de 30 livres pour enfants et adolescents, qui ont connu un grand succès. Parmi ceux-ci figurent d'autres titres de la série *Best Behavior* pour jeunes enfants, les livres plastifiés *Toddler Tools* et la collection *Laugh & Learn* pour préadolescents. Elizabeth vit avec son mari, sa fille, son fils et cinq animaux domestiques près de St. Paul, au Minnesota.

 **Marieka Heinlen** a amorcé sa carrière en illustrant l'édition originale du livre jeunesse primé *On ne frappe pas – J'apprends à contrôler ma colère*. Depuis, elle a illustré de nombreux ouvrages pour jeunes enfants, dont d'autres titres de la collection *Best Behavior* et la série de livres plastifiés *Toddler Tools*. Illustratrice et designer pigiste, Marieka axe son travail sur les livres destinés aux enfants, aux adolescents, aux parents et aux enseignants. Elle habite à St. Paul, au Minnesota, avec son mari, son fils et sa fille.

Dans cette collection :

Les mots peuvent blesser

On ne frappe pas!
J'apprends à contrôler ma colère